Para Noah e Ivy,
Emily e Isabel, y Jude;
¡qué maravilloso grupo!

Puede consultar nuestro catálogo en www.edicionesobelisco.com

OLIVER Y EL TROLL
Texto e ilustraciones: *Adam Stower*

1.ª edición: noviembre de 2014

Título original: *Troll and the Oliver*

Traducción: *Joana Delgado*
Maquetación: *Montse Martín*
Corrección: *M.ª Jesús Rodríguez*

Edita: Picarona, sello infantil de Ediciones Obelisco, S. L.
Pere IV, 78 (Edif. Pedro IV) 3.ª planta, 5.ª puerta
08005 Barcelona - España
Tel. 93 309 85 25 - Fax 93 309 85 23
www.picarona.net
www.edicionesobelisco.com

ISBN: 978-84-16117-05-5
Depósito Legal: B-9.103-2014

Printed in China

Oliver y el troll

Adam Stower

Picarona

Éste es el troll.

Y éste es Oliver.

Cada día, hacia la hora de comer…

el troll intenta zamparse a Oliver.

Pero pillar a Oliver es una tarea complicada.
Y, por mucho que el troll lo intenta,
nunca llega a conseguirlo.

Y es que Oliver no se lo ponía nada fácil.

Y es que, en vez de estarse quieto y tranquilito,

Oliver no paraba de correr arriba y abajo,

por eso era tan difícil atraparlo.

Además, cada vez que el troll se acercaba,

Oliver desaparecía de repente.

Soltaba unas risitas y cantaba:

Mas para alguien tan vociferante y escandaloso,

tal vez no era lo mejor…

… ser cauto y sigiloso.

Pues incluso cuando el troll estaba total, definitiva y ABSOLUTAMENTE seguro de que iba a cazar a Oliver…

… no lo conseguía.

Siempre sucedía lo mismo, una y otra y otra vez.
Llegaba la primavera y el troll estaba malhumorado,
cansado y muy, muy, muy hambriento.

No era justo, parecía que Oliver lo hacía a propósito…

El troll tenía que volver a su guarida
y zamparse su comida de piedras y ramitas.

Ya estaba harto de las tonterías de Oliver.

A la mañana siguiente, Oliver se fue a hacer la compra con su cesta, como solía hacer siempre. Atravesó el bosque con muchísimo cuidado, esperando que el troll saltara sobre él en cualquier momento.

Pero el troll no apareció.

De vuelta a casa,
Oliver buscó bien entre la hierba del prado
para comprobar que el troll no estuviera allí
escondido, y le agarrara por los tobillos
con sus enormes zarpas.

Después, subió de puntillas al puente,

por si acaso.

Pero el troll
no aparecía
por ninguna
parte.
Era de lo
más extraño.

Oliver no vio al troll en todo el día,
así que se fue otra vez a casa, donde se encontraba totalmente a salvo.

Y, estaba muy atareado en la cocina,
cuando de repente Oliver se dio cuenta de que…

¡El troll se había rendido!

¡Se había marchado

para siempre!

¡OLIVER HABÍA VENCIDO!

Se sentía sumamente

satisfecho.

ME LLAMO OLIVER.
MIRADME BIEN:
¡SOY GENIAL,
SOY EL MEJOR,
SOY UN GANADOR!
¡NUNCA JAMÁS SERÉ
UN PLATO SABROSO
PARA ESE TROLL
APESTOSO!

¡ZAAAAAA

AAAAAS!

El troll se sintió supercontento y satisfecho consigo mismo.

Pero, lamentablemente
para el troll…

y… felizmente para Oliver:

¡sabía **REPUGNANTEMENTE MAL**!

Pobre troll,

ahora tenía más hambre que nunca.

El troll se dejó caer y suspiró. Oliver se sentó y goteó.

Pero entonces oyeron un…

Y, a partir de ese momento, todo cambió.

Desde entonces el troll no ha vuelto a estar hambriento
y nunca más ha tenido que comer piedras, o ramitas o…

a un Oliver, ¡por suerte!

TODOS LOS DÍAS CANTAMOS
Y HORNEAMOS,
PORQUE, ¿SABES QUÉ?

El café de Trolliver
A TODOS LOS TROLLS LES ENCANTAN...

¡LOS DULCES!

Nota del autor:

Recomiendo encarecidamente al lector
que tenga SIEMPRE a mano un dulce suculento,
por si acaso aparece de repente:

un troll hambriento.

EL LIBRO DE COCINA DE TROLLIVER

Receta de troll-magdalenas

(Para unas 12 magdalenas)

Ingredientes

Para la masa

- 110 g de mantequilla, a punto para batir
- 110 g de azúcar glas
- 2 huevos
- 1 cucharadita de extracto de vainilla
- 110 g de harina preparada con levadura

Para glasear y decorar las magdalenas

- 140 g de mantequilla, a punto de batir
- 280 g de azúcar glas
- Unas gotitas de colorante alimentario
- Coco rallado deshidratado
- Chucherías para adornar, al gusto

Para preparar la masa de las magdalenas

- Pide a un adulto que precaliente el horno a 180 °C.
- Coloca 12 moldes para magdalenas en una bandeja especial para el horno.
- En un cuenco, bate bien la mantequilla y el azúcar hasta conseguir una especie de crema.
- Bate los huevos y añádeles el extracto de vainilla (quizás necesites la ayuda de un troll para batir, pues ellos lo hacen de manera enérgica y rápida).
- Añade la harina a cucharadas y mézclala bien.
- Con una cuchara, rellena los moldes con la masa, pero sólo hasta la mitad.
- Pide a un adulto que coloque la bandeja con los moldes en el horno para que las magdalenas se horneen durante unos 10 o 15 minutos, hasta que queden doraditas.
- Déjalas que reposen en la bandeja unos 10 minutos, y después pásalas a una rejilla para que se acaben de enfriar.